CP

Les cahiers d'écriture

1 Apprentissage

Danièle Dumont
Docteur en sciences du langage
Enseignante en pédagogie de l'écriture et en rééducation de l'écriture depuis plus de 20 ans

Ce cahier appartient à ....

Classe de ....

École ....

Vous êtes enseignant ?
Pensez à télécharger gratuitement
le livret d'accompagnement

@ SUR LE SITE editions-hatier.fr

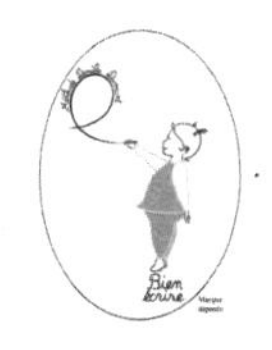

Une méthode qui a fait ses preuves

Fidèle à son principe de ne jamais placer les enfants devant une difficulté qu'ils ne pourraient pas surmonter, cette méthode créée dans les années 90, permet à chacun de progresser efficacement et rapidement en abordant les difficultés une à une : chaque page de ce cahier ne contient que des lettres déjà apprises plus la lettre nouvelle. **Rencontrant moins de difficultés, l'enfant réussit mieux. Réussissant mieux, il est sécurisé ; donc plus confiant en ses possibilités, ce qui le prédispose à une meilleure réussite.**

Un triple objectif :
Qualité de l'écrit – Lien avec la lecture – Initiation à la production de sens

Au-delà de la qualité de la technique graphique, ce cahier vise à outiller l'enfant d'une écriture courante dès les vacances de Toussaint afin de ne pas bloquer sa progression en lecture ou en production d'écrit par des lettres non encore étudiées. **Dès la Toussaint, l'enfant sait donc écrire toutes les lettres d'une écriture suffisamment fluide, en les disposant correctement sur la ligne et en respectant les formes et les dimensions.**

La progression suit la logique de mise en place du geste graphique ; **elle tient compte aussi de la lecture**, par exemple en introduisant très tôt la lettre *s*, lettre récurrente puisqu'elle marque le pluriel des noms et des adjectifs. Les enfants ont plaisir à déchiffrer des phrases en dehors du contexte de leur livre de lecture. Les mots ou phrases proposés peuvent d'ailleurs être l'occasion de découvrir des sons non encore étudiés. Le livret d'accompagnement propose une solution de contournement à l'enseignant qui tend à privilégier la progression du livre de lecture sur celle du cahier d'écriture.

Les enfants ont plaisir aussi à réfléchir **au sens de l'écrit** pour le compléter ou le produire. En effet, loin de réduire l'écriture à du dessin de lettres ou de ne proposer que de la copie, ce cahier optimise le gout de lire et prépare l'enfant à produire du sens.

Jusqu'à Noël, un cahier de perfectionnement poursuit l'entrainement en consolidant le respect du lignage, en proposant une étude spécifique des arrêts et des enchainements puis l'étude des signes diacritiques, des barres de *t*, des points sur les *i* et de la ponctuation.

Présentation

Les fondations de l'édifice sont posées dès les premières pages : tenir correctement le crayon pour avoir un geste assuré, savoir suivre le lignage du cahier pour y poser correctement les mots, prendre conscience des interlignes pour bien placer les lettres. Il est très fortement conseillé de ne pas en faire l'économie.

Les lettres sont ensuite traitées une à une par forme. Une fois chaque lettre étudiée, les lettres sont revues toutes ensemble regroupées par forme (p. 31). Les chiffres sont proposés en fin de cahier (p. 32) afin de permettre à l'enseignant de les faire écrire quand il le souhaite.

Rythme de travail

Nous suggérons un **maximum** d'une page par jour en respectant la logique de progression qui structure chaque page. En effet, une même page peut donner lieu à deux leçons à la condition, à partir de la page 7, que le geste soit réinvesti, c'est-à-dire que l'exercice 1 soit refait : les exercices 2 à 5 peuvent être faits sur la ligne entière ou sur une demi-ligne, la fin de la ligne étant réservée à une seconde séance ou laissée vierge.

Responsable d'édition : Corinne Caraty. Édition : Camille Mennesson. Maquette : Sophie Duclos et Sandra Fauché. Mise en pages : Nadine Aymard. Illustrations : Isabelle Borne.
Photographies © Hatier : Camille Rouxel. Merci à Mauryne Landat pour ses petites mains.

© HATIER PARIS, 2019 - ISBN : 978-2-401-05357-1
Sous réserve des exceptions légales, toute représentation ou reproduction intégrale ou partielle, faite, par quelque procédé que ce soit, sans le consentement de l'auteur ou de ses ayants droit, est illicite et constitue une contrefaçon sanctionnée par le Code de la Propriété Intellectuelle. Le CFC est le seul habilité à délivrer des autorisations de reproduction par reprographie, sous réserve en cas d'utilisation aux fins de vente, de location, de publicité ou de promotion de l'accord de l'auteur ou des ayants droit.

Achevé d'imprimer en Italie par Vincenzo Bona S.p.A. – Dépot légal 05357-1/07 – Avril 2024

IMPRIM'VERT

Des consignes récurrentes pour un apprentissage structurant

Les exercices sont proposés sous sept rubriques.
Ils seront précédés de l'observation de la lettre placée en haut de page.

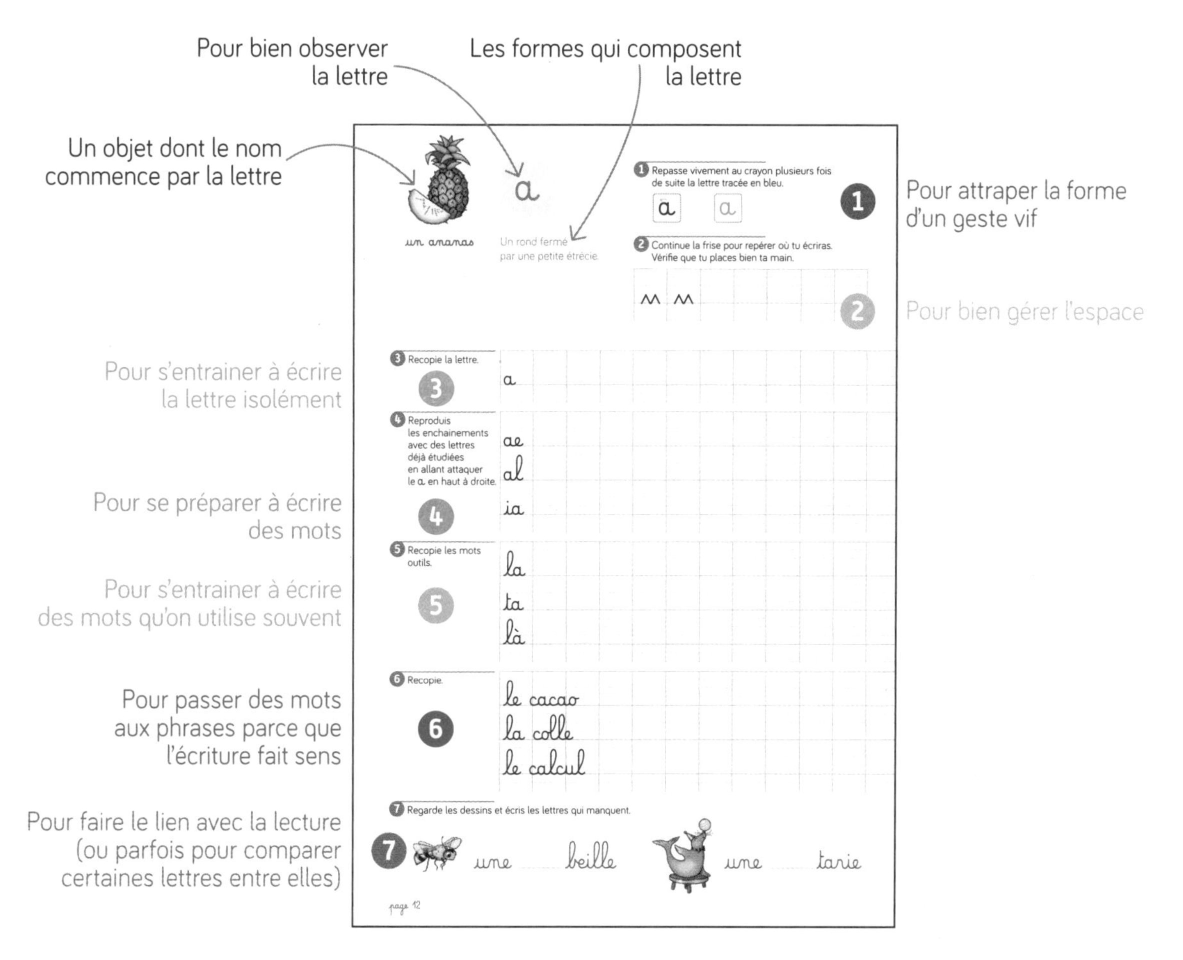

❶ Il s'agit d'acquérir le bon geste et non de dessiner la lettre. Un fléchage accompagne la 1re lettre. L'enfant repasse vivement plusieurs fois au crayon sur la 2de. Il s'exerce ensuite au brouillon pour s'assurer d'avoir bien compris. Il consolide cette nouvelle connaissance en repassant de nouveau plusieurs fois sur la lettre.

❷ Cet exercice consolide la perception et le respect des lignages. Il est précieux pour une écriture de bonne qualité.

❸ L'enfant met en application les acquis en traçant la lettre isolément (il n'est pas obligé de remplir la ligne entière). On remarquera qu'aucun point n'est placé sur la ligne pour ne pas entraver la fluidité du geste.

❹ La nouvelle lettre est intégrée aux acquis antérieurs. Son attaque et sa finale s'adaptent d'emblée à son environnement.

❺ Les compétences techniques étant acquises, elles sont mises en application dans des mots de haute fréquence.

❻ Avec cette rubrique, l'enfant commence par écrire des mots puis accède très rapidement à l'écriture de phrases. L'enseignant peut choisir de faire copier la phrase une seule fois ou deux fois.

❼ Cet exercice varie selon les pages : écrire la première syllabe des mots (ou la dernière), s'appliquer à voir les différences entre les lettres, retrouver la lettre dans le livre de lecture, recopier au bon endroit le nom de ce qui est dessiné.

Sans se substituer au livre de référence[1], le livret d'accompagnement, téléchargeable gratuitement sur le site (www.editions-hatier.fr), guide l'enseignant page après page pour optimiser sa pratique.

1 D. Dumont, *Le geste d'écriture*. Méthode d'apprentissage, cycle 1, cycle 2, Différenciation et transversalité, Hatier, 2016.

La forme des lettres

Les lettres sont composées de formes issues de deux unités de mouvement :

- La 1re va de la gauche vers la droite « en passant par en bas » : elle a pour forme de base la **boucle**.

- La 2e va de la gauche vers la droite « en passant par en haut » : elle a pour forme de base le **rouleau**.

Avec la **boucle** on forme la lettre e. En étirant les doigts vers le haut, on obtient la lettre l.

En étrécissant la boucle au maximum, c'est-à-dire en la rendant la plus étroite possible, on forme **une étrécie**.

Avec une simple étrécie qu'on fait surplomber d'un point, on forme la lettre i. En redoublant le tracé, on obtient la lettre u. En étirant les doigts vers le haut et en ajoutant une barre, on obtient la lettre t.

En changeant le lieu d'attaque de la boucle, on obtient le **rond** qui forme l'ove des lettres c, o, a, d, (puis, plus tard, g et q).

En conséquence, si on commence l'écriture par la boucle, les ronds ne seront jamais tournés à l'envers.

Les formes de 2e unité ne peuvent pas à elles seules former des lettres cursives. Il leur faut s'adjoindre une forme de 1re unité pour exister. Précédée d'un début de grande boucle, la forme de base de 2e unité, le **rouleau**, forme la lettre s. Suivie d'un rond ouvert, elle forme la lettre x. Une autre lettre, plus complexe, utilise le rouleau, la lettre z.

Comme pour les dérivées de la boucle, c'est en changeant le degré d'arrondi ou le lieu d'attaque que l'on obtient les dérivées du rouleau, respectivement le pont et le jambage bouclé (le jambage bâtonné est une dérivée par étrécisement du jambage bouclé).

Toute l'écriture cursive manuscrite fait ainsi système. La description de chaque lettre est donnée en haut de page, elle est précisée si nécessaire dans le livret d'accompagnement et rappelée sous forme de tableau au dos de la couverture.

En apprenant à voir les formes qui les composent, l'enfant apprend à reconnaitre les lettres.

En apprenant à attraper le bon geste dès les premières lettres (exercice 1), l'enfant se dote des moyens de convoquer directement le geste adapté pour écrire les nouvelles lettres. Il a alors l'esprit libre pour se consacrer à ce qu'il écrit.

Les chiffres

Les chiffres (p. 32) ne sont pas liés entre eux, ce qui relativise l'importance du sens de leur tracé. On privilégiera toutefois un sens de déroulement de gauche à droite et de haut en bas. Le 8 est commencé indifféremment dans un sens ou dans l'autre. Nous proposons qu'il commence comme les lettres rondes. Nous suggérons 1/2 ligne par séance de travail, ce qui représente la possibilité de faire quatre séances d'écriture d'un même chiffre.

Illustrations

Pour aider l'enfant à la mémoriser, chaque lettre est illustrée par le dessin d'un objet dont le nom commence par la lettre étudiée (sauf h qui ne se prononce pas et e dont le nom n'est pas représentatif de sa prononciation en début de mot : é, en, ein...). L'enfant peut identifier la lettre seul ou à l'aide de l'enseignant comme c'est le cas, page 8, pour l'urubu (vautour de petite taille répandu dans l'Amérique tropicale).

Le positionnement du stylo et de la main

Suggestion : Plutôt que de faire une ligne entière en une seule séance, faire faire une demi-ligne voire un tiers de ligne de chaque exercice 2 jours ou 3 jours de suite.

- Reproduis les modèles de haut en bas en posant la main, poignet compris, sur la feuille.

Le stylo et la main sont placés dans l'axe de l'avant-bras. Le stylo est en appui sous l'articulation qui relie l'index à la main, il est pincé entre le pouce et le côté du majeur à hauteur de la dernière articulation du majeur.

Une bonne tenue du crayon et une bonne posture sont indispensables pour le confort de l'écriture.

La tenue de ligne

- Reproduis les modèles en suivant la ligne, en tenant ton stylo et en plaçant ta main correctement.

Commencer par repérer la ligne sur laquelle on écrit favorise une bonne tenue de ligne.

Les lignages du cahier

- Pour chaque exercice, vérifie la façon dont tu tiens ton crayon et dont tu places ta main : elle doit être sous la ligne, pas à côté ni au-dessus.
- Colorie un carreau sur deux en utilisant une couleur par interligne.

Suggestion : Plutôt que de faire une ligne entière en une seule séance, faire faire une demi-ligne voire un tiers de ligne de chaque exercice 2 jours ou 3 jours de suite.

- Reproduis les modèles en respectant les dimensions.

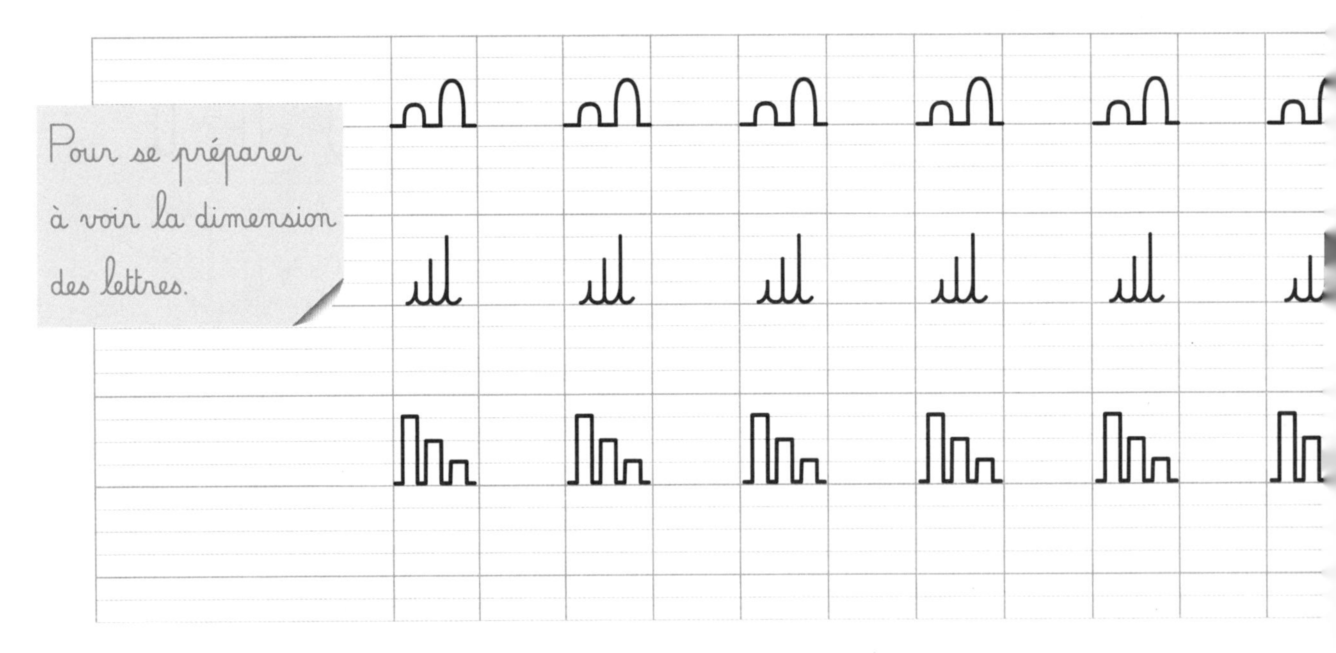

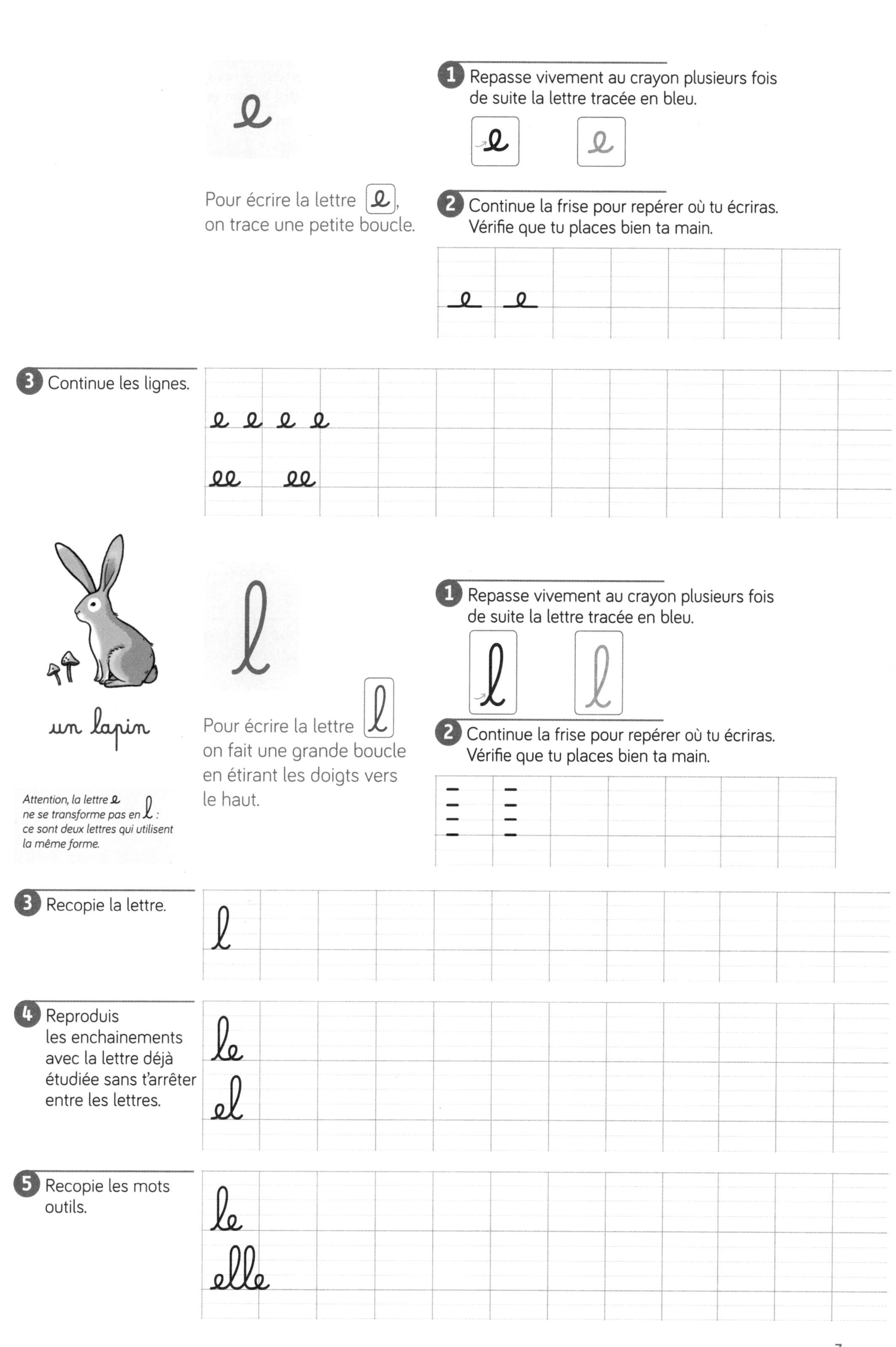

e

1 Repasse vivement au crayon plusieurs fois de suite la lettre tracée en bleu.

Pour écrire la lettre e, on trace une petite boucle.

2 Continue la frise pour repérer où tu écriras. Vérifie que tu places bien ta main.

3 Continue les lignes.

e e e e

ee ee

un lapin

l

1 Repasse vivement au crayon plusieurs fois de suite la lettre tracée en bleu.

Pour écrire la lettre l on fait une grande boucle en étirant les doigts vers le haut.

2 Continue la frise pour repérer où tu écriras. Vérifie que tu places bien ta main.

Attention, la lettre e ne se transforme pas en l : ce sont deux lettres qui utilisent la même forme.

3 Recopie la lettre.

l

4 Reproduis les enchainements avec la lettre déjà étudiée sans t'arrêter entre les lettres.

le

el

5 Recopie les mots outils.

le

elle

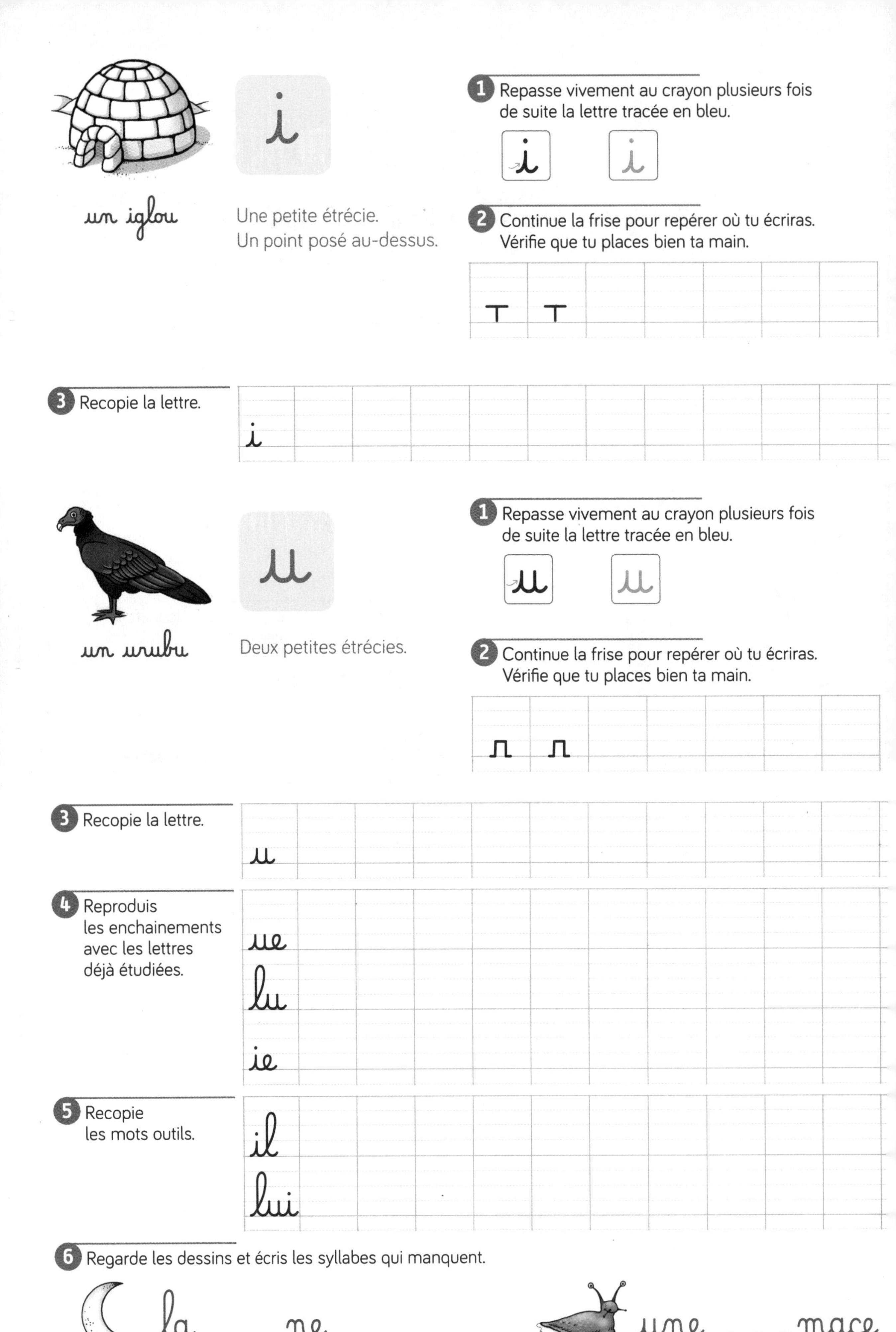

i

un iglou

Une petite étrécie.
Un point posé au-dessus.

1. Repasse vivement au crayon plusieurs fois de suite la lettre tracée en bleu.

2. Continue la frise pour repérer où tu écriras. Vérifie que tu places bien ta main.

3. Recopie la lettre.

i

u

un urubu

Deux petites étrécies.

1. Repasse vivement au crayon plusieurs fois de suite la lettre tracée en bleu.

2. Continue la frise pour repérer où tu écriras. Vérifie que tu places bien ta main.

3. Recopie la lettre.

u

4. Reproduis les enchainements avec les lettres déjà étudiées.

ue

lu

ie

5. Recopie les mots outils.

il

lui

6. Regarde les dessins et écris les syllabes qui manquent.

la ____ ne

une ____ mace

une tortue

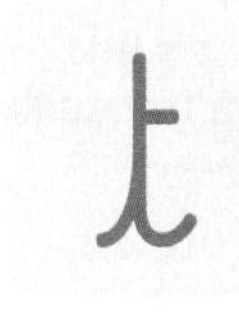

Une grande étrécie.
Une barre horizontale
aux deux tiers de la hauteur.

1 Repasse vivement au crayon plusieurs fois de suite la lettre tracée en bleu.

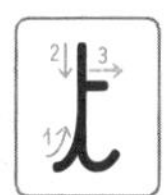

2 Continue la frise pour repérer où tu écriras.
Vérifie que tu places bien ta main.

3 Recopie la lettre.

t

4 Reproduis les enchainements avec des lettres déjà étudiées sans t'arrêter entre les lettres.

ti

te

it

5 Recopie les mots outils.

et

tu

te

6 Recopie.

l'étui

l'été

le lit

7 Regarde les dessins et écris les syllabes qui manquent.

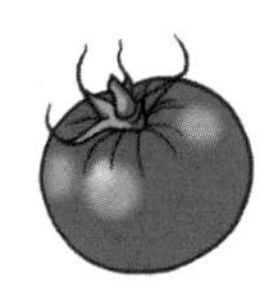

une toma ______

une ______ lipe

une cigogne

un canard

c

Un rond ouvert.

1 Repasse vivement au crayon plusieurs fois de suite la lettre tracée en bleu.

c c

2 Continue la frise pour repérer où tu écriras. Vérifie que tu places bien ta main.

3 Recopie la lettre.

c

4 Reproduis les enchainements avec des lettres déjà étudiées.

cu

cl

ic

5 Recopie les mots outils.

ici

ceci

cette

6 Recopie.

l'écuelle

celui-ci

le cil

7 Regarde les dessins et écris les syllabes qui manquent.

une ______ rise

une ______ trouille

une orange

Un rond.
Une attaque de grande boucle à sa fermeture.

1 Repasse vivement au crayon plusieurs fois de suite la lettre tracée en bleu.

2 Continue la frise pour repérer où tu écriras. Vérifie que tu places bien ta main.

3 Recopie la lettre.

o

4 Reproduis les enchainements avec des lettres déjà étudiées en allant attaquer le o en haut à droite.

ot
ol
lo

5 Recopie les mots outils.

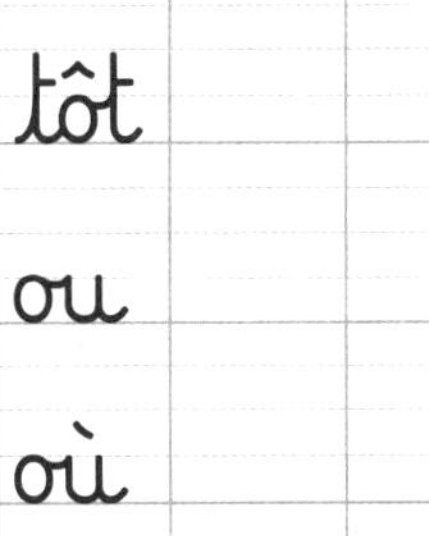

tôt
ou
où

6 Recopie.

le col
le loto
l'école

7 Regarde les dessins et écris les syllabes qui manquent.

 une mo ______

 une ______ ma ______

un ananas

Un rond fermé
par une petite étrécie.

1 Repasse vivement au crayon plusieurs fois de suite la lettre tracée en bleu.

2 Continue la frise pour repérer où tu écriras. Vérifie que tu places bien ta main.

ʌʌ ʌʌ

3 Recopie la lettre.

a

4 Reproduis les enchainements avec des lettres déjà étudiées en allant attaquer le a en haut à droite.

ae

al

ia

5 Recopie les mots outils.

la

ta

là

6 Recopie.

le cacao

la colle

le calcul

7 Regarde les dessins et écris les lettres qui manquent.

une ...... beille

une ot...rie

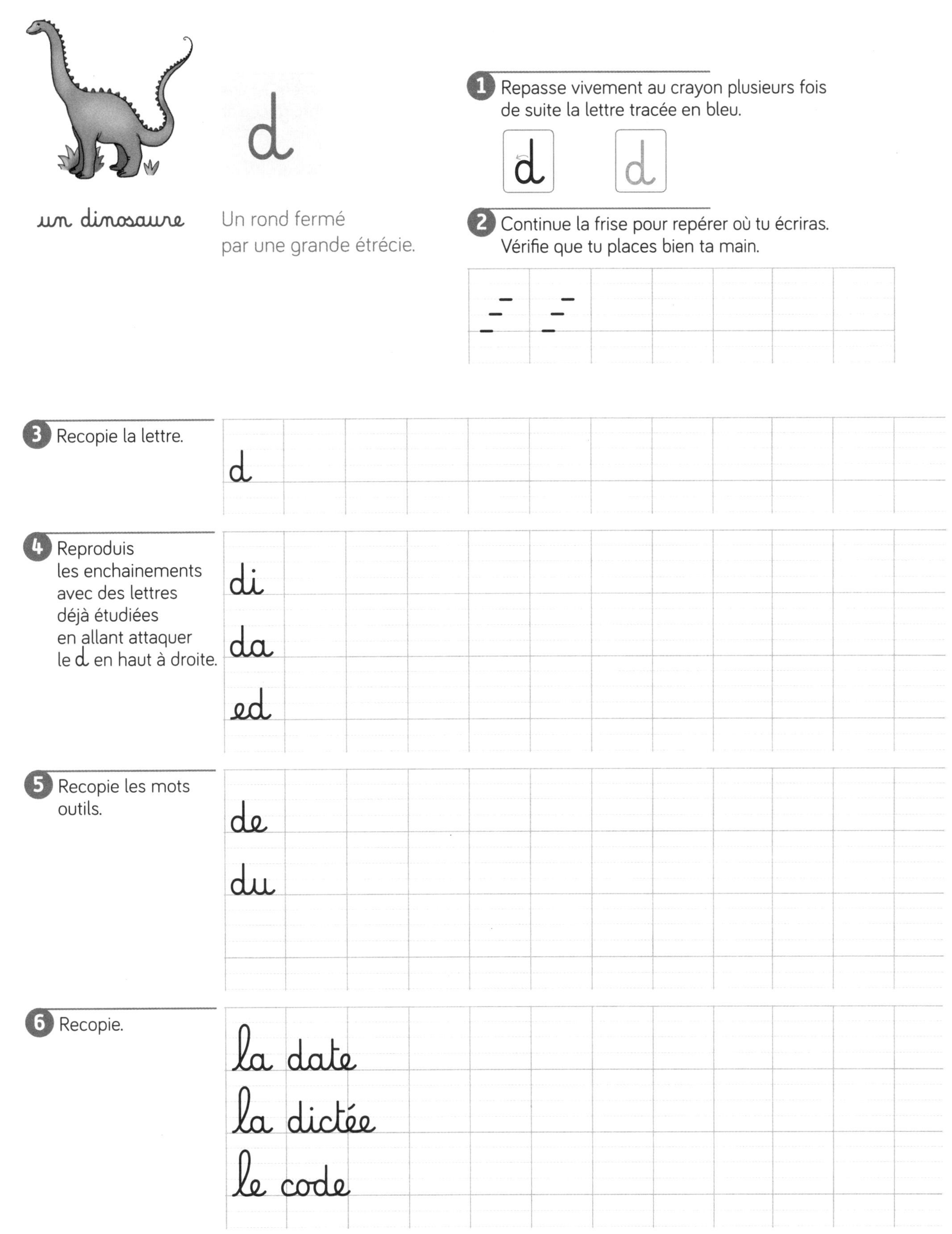

un dinosaure

d

Un rond fermé
par une grande étrécie.

1 Repasse vivement au crayon plusieurs fois de suite la lettre tracée en bleu.

d d

2 Continue la frise pour repérer où tu écriras.
Vérifie que tu places bien ta main.

3 Recopie la lettre.

d

4 Reproduis les enchainements avec des lettres déjà étudiées en allant attaquer le d en haut à droite.

di

da

ed

5 Recopie les mots outils.

de

du

6 Recopie.

la date

la dictée

le code

7 Regarde les dessins et écris le mot ou la syllabe qui manque.

un ____________

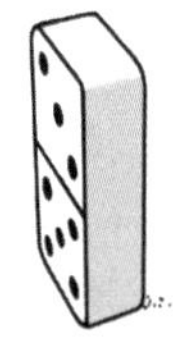

un ______ mino

une souris

Une attaque
de grande boucle.
Un rouleau.

1 Repasse vivement au crayon plusieurs fois de suite la lettre tracée en bleu.

s s

2 Continue la frise pour repérer où tu écriras. Vérifie que tu places bien ta main.

3 Recopie la lettre.

s

4 Reproduis les enchainements avec des lettres déjà étudiées.

es

se

sa

5 Recopie les mots outils.

les

des

est

6 Recopie.

Il essuie les assiettes.

I

7 Cherche dans ton livre de lecture deux mots qui comportent la lettre s et recopie-les chacun sur une ligne différente.

Deux ponts.
Un début d'étrécie.

1 Repasse vivement au crayon plusieurs fois de suite la lettre tracée en bleu.

2 Continue la frise pour repérer où tu écriras.
Vérifie que tu places bien ta main.

3 Recopie la lettre.

n

4 Reproduis les enchainements avec des lettres déjà étudiées.

nu

no

in

5 Recopie les mots outils.

on

ont

un

6 Recopie.

La nuit la lune luit.

L

7 Cherche dans ton livre de lecture deux mots qui comportent la lettre n et recopie-les chacun sur une ligne différente.

une maison

Trois ponts.
Un début d'étrécie.

1 Repasse vivement au crayon plusieurs fois de suite la lettre tracée en bleu.

2 Continue la frise pour repérer où tu écriras. Vérifie que tu places bien ta main.

3 Recopie la lettre.

m

4 Reproduis les enchainements avec des lettres déjà étudiées.

me

mo

em

5 Recopie les mots outils.

ma

mes

mon

6 Recopie.

Mamie m'amène au cinéma.

M

7 Cherche dans ton livre de lecture deux mots qui comportent la lettre m et recopie-les chacun sur une ligne différente.

un papillon

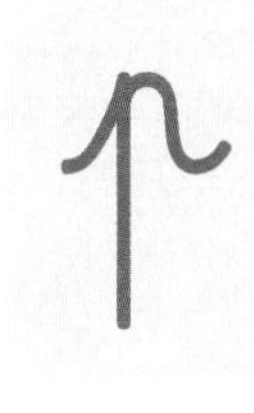

Une attaque
de grande boucle.
Un jambage bâtonné.
Un pont.
Un début d'étrécie.

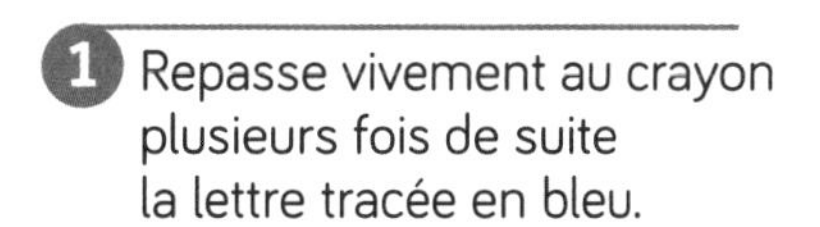

1 Repasse vivement au crayon plusieurs fois de suite la lettre tracée en bleu.

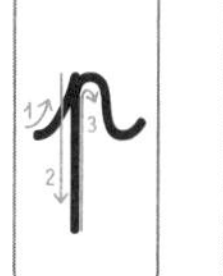

2 Continue la frise pour repérer où tu écriras. Vérifie que tu places bien ta main.

3 Recopie la lettre.

p

4 Reproduis les enchainements avec des lettres déjà étudiées.

pe
po
ip

5 Recopie les mots outils.

pas
plus
puis

6 Recopie.

Paul pèle une pomme.
P

7 Cherche dans ton livre de lecture deux mots qui comportent la lettre p et recopie-les chacun sur une ligne différente.

un radis

r

Une attaque
de grande boucle.
Un pont.
Un début d'étrécie.

1 Repasse vivement au crayon plusieurs fois de suite la lettre tracée en bleu.

2 Continue la frise pour repérer où tu écriras. Vérifie que tu places bien ta main.

3 Recopie la lettre.

r

4 Reproduis les enchainements avec des lettres déjà étudiées.

re
er
or

5 Recopie les mots outils.

par
trop
très

6 Recopie.

Le père noël m'apportera des rollers.

7 Continue la ligne à l'identique.

r n m

la queue

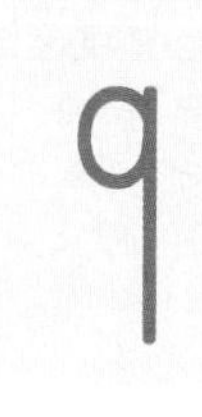

Un rond.
Un jambage bâtonné.

1 Repasse vivement au crayon plusieurs fois de suite la lettre tracée en bleu.

q q

2 Continue la frise pour repérer où tu écriras.
Vérifie que tu places bien ta main.

3 Recopie la lettre.

q

4 Reproduis les enchainements avec des lettres déjà étudiées.

qu
eq
iq

5 Recopie les mots outils.

que
qui
quand

6 Recopie.

On quitte sa casquette en classe.

O

7 Regarde les dessins et écris les mots qui manquent.

un ____________

un ____________

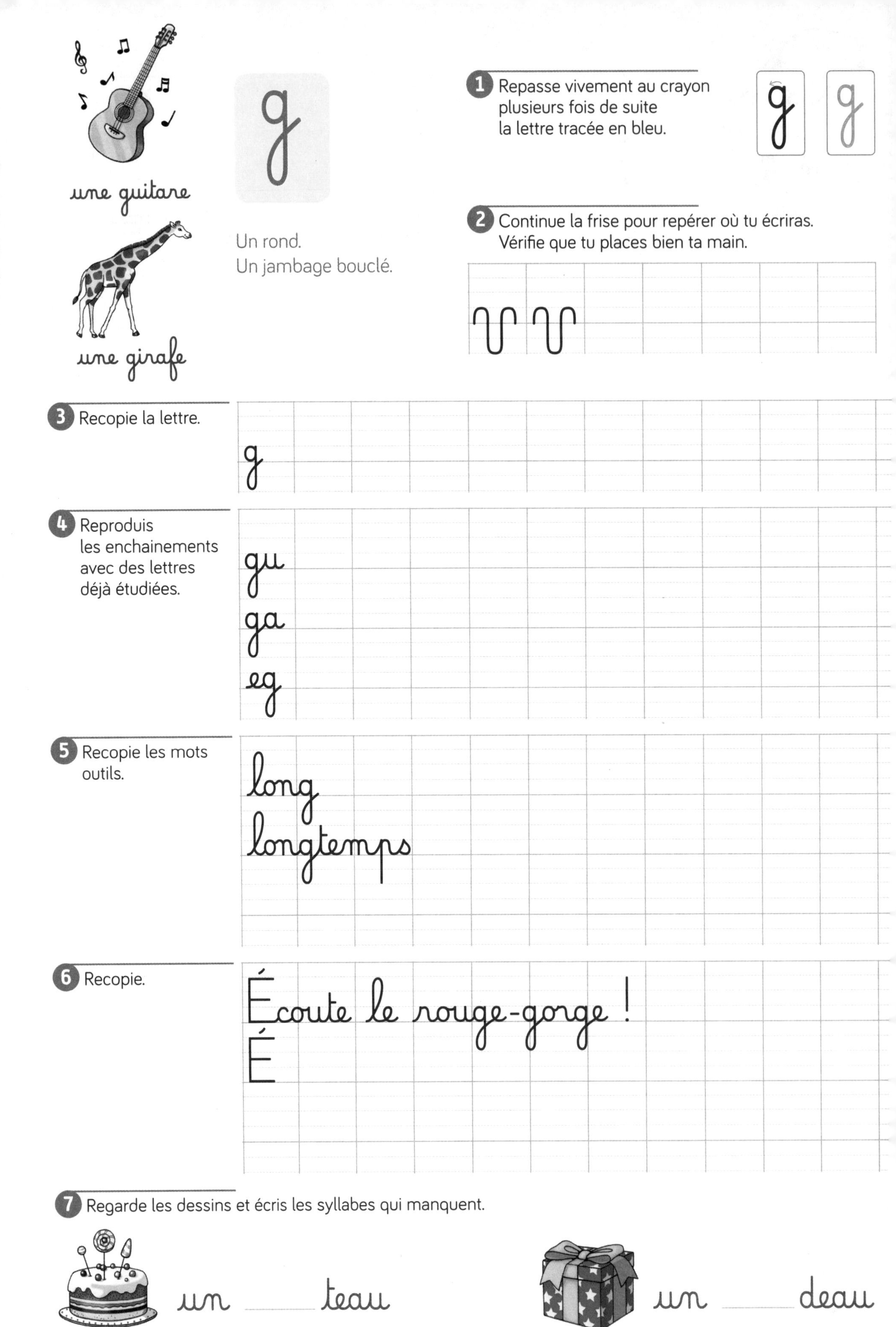

une guitare

une girafe

g

Un rond.
Un jambage bouclé.

1 Repasse vivement au crayon plusieurs fois de suite la lettre tracée en bleu.

g g

2 Continue la frise pour repérer où tu écriras. Vérifie que tu places bien ta main.

3 Recopie la lettre.

g

4 Reproduis les enchainements avec des lettres déjà étudiées.

gu
ga
eg

5 Recopie les mots outils.

long
longtemps

6 Recopie.

Écoute le rouge-gorge !
É

7 Regarde les dessins et écris les syllabes qui manquent.

un ______ teau

un ______ deau

un bateau

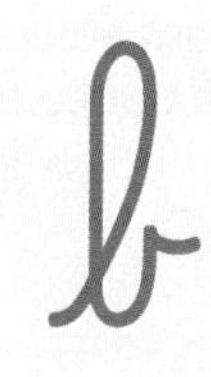

Une grande boucle.
Une demi-étrécie.
Une attaque
de grande boucle.

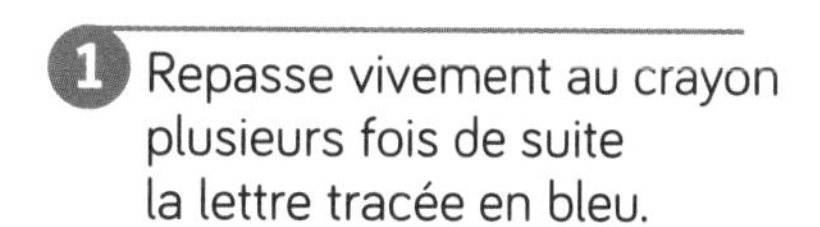

1 Repasse vivement au crayon plusieurs fois de suite la lettre tracée en bleu.

2 Continue la frise pour repérer où tu écriras. Vérifie que tu places bien ta main.

ell ell

3 Recopie la lettre.

b

4 Reproduis les enchainements avec des lettres déjà étudiées.

bo
bi
be

5 Recopie les mots outils.

bien
bon
bientôt

6 Recopie.

Bébé boit son biberon.
B

7 Regarde les dessins et écris le mot ou les syllabes qui manquent.

une ______________

un ______________ ron

une voiture

Une attaque en pont.
Une demi étrécie.
Une attaque
de grande boucle.

1 Repasse vivement au crayon plusieurs fois de suite la lettre tracée en bleu.

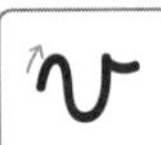 

2 Continue la frise pour repérer où tu écriras.
Vérifie que tu places bien ta main.

el el

3 Recopie la lettre.

v

4 Reproduis les enchainements avec des lettres déjà étudiées.

ve

vi

ov

5 Recopie les mots outils.

vers

devant

avec

6 Recopie.

Il rêve qu'un lutin va venir.

I

7 Regarde les dessins et écris les syllabes qui manquent.

un ____ olon

une ____ lise

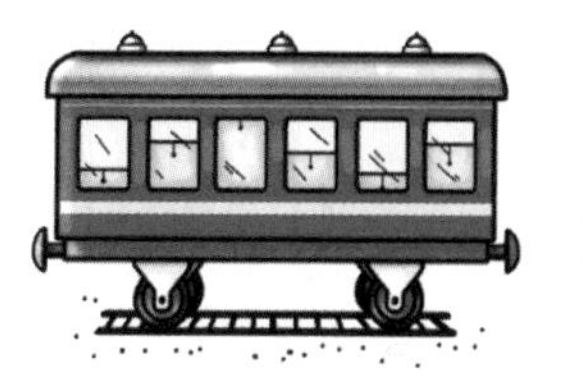
un wagon

Un double v, comme son nom l'indique.

1 Repasse vivement au crayon plusieurs fois de suite la lettre tracée en bleu.

2 Continue la frise pour repérer où tu écriras. Vérifie que tu places bien ta main.

∩∪ ∩∪

3 Recopie la lettre.

w

4 Reproduis les enchainements avec des lettres déjà étudiées.

we

wi

ew

5 Recopie le mot.

clown

6 Recopie.

Le wagon est plein de voitures.

L

7 Continue la ligne à l'identique.

n m v w

une jupe

Une attaque
de grande boucle.
Un jambage.
Un point.

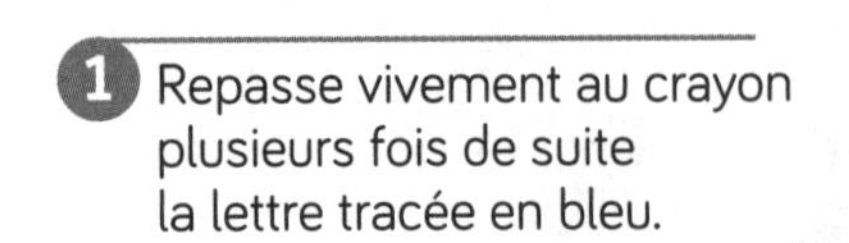

1 Repasse vivement au crayon plusieurs fois de suite la lettre tracée en bleu.

2 Continue la frise pour repérer où tu écriras. Vérifie que tu places bien ta main.

3 Recopie la lettre.

j

4 Reproduis les enchainements avec des lettres déjà étudiées.

je
jo
ej

5 Recopie les mots outils.

déjà
jour
jamais

6 Recopie.

Je joue avec un joli jouet.

J

7 Regarde les dessins et écris les syllabes qui manquent.

un ______ doka

un ______ guar

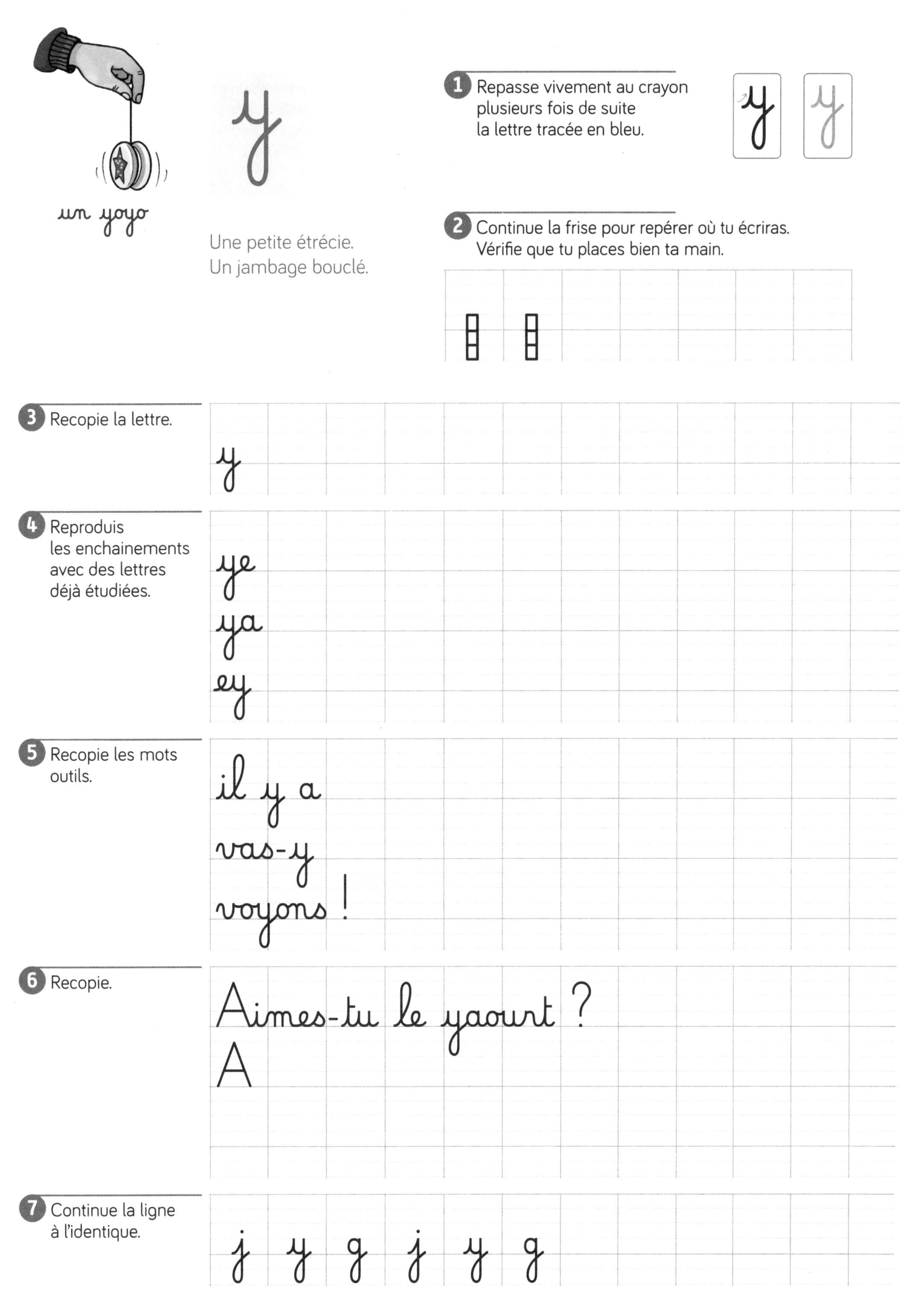

un yoyo

y

Une petite étrécie.
Un jambage bouclé.

1 Repasse vivement au crayon plusieurs fois de suite la lettre tracée en bleu.

2 Continue la frise pour repérer où tu écriras.
Vérifie que tu places bien ta main.

3 Recopie la lettre.

y

4 Reproduis les enchainements avec des lettres déjà étudiées.

ye
ya
ey

5 Recopie les mots outils.

il y a
vas-y
voyons !

6 Recopie.

Aimes-tu le yaourt ?
A

7 Continue la ligne à l'identique.

j y g j y g

Une grande boucle.
Un pont.
Un début d'étrécie.

1 Repasse vivement au crayon plusieurs fois de suite la lettre tracée en bleu.

2 Continue la frise pour repérer où tu écriras. Vérifie que tu places bien ta main.

3 Recopie la lettre.

h

4 Reproduis les enchainements avec des lettres déjà étudiées.

he
ho
ch

5 Recopie les mots outils.

hier
chaque
chacun

6 Recopie.

Le chat se cache dans la niche.
L

7 Regarde les dessins et écris au bon endroit le nom de ce qui est dessiné (un hamac, un hibou).

un ____________

un ____________

un kangourou

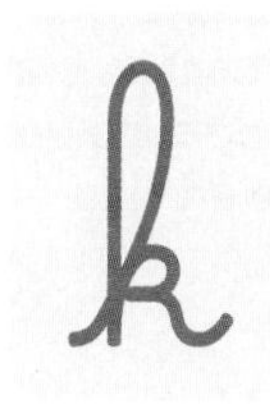

Une grande boucle.
Un rouleau.
Un pont.
Un début d'étrécie.

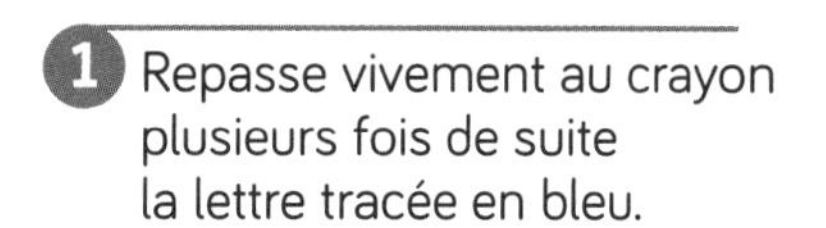

1 Repasse vivement au crayon plusieurs fois de suite la lettre tracée en bleu.

2 Continue la frise pour repérer où tu écriras. Vérifie que tu places bien ta main.

3 Recopie la lettre.

k

4 Reproduis les enchainements avec des lettres déjà étudiées.

ke
ko
ek

5 Recopie les mots.

koala
mikado

6 Recopie.

Elle achète un kilo de kiwis.
E

7 Continue la ligne à l'identique.

l b h k

une fée

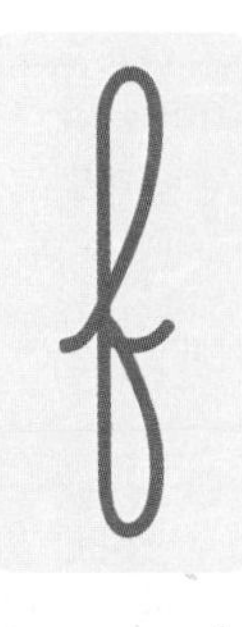

Une grande boucle.
Une boucle inférieure.
Une attaque
de grande boucle.

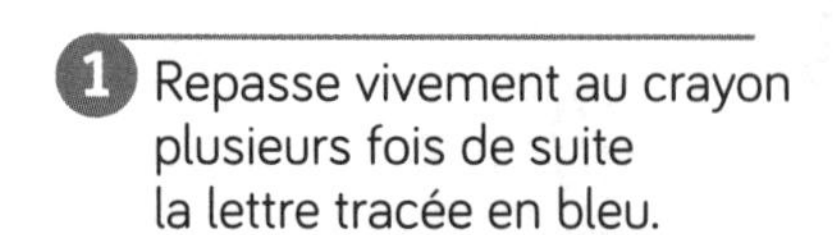

1 Repasse vivement au crayon plusieurs fois de suite la lettre tracée en bleu.

2 Continue la frise pour repérer où tu écriras. Vérifie que tu places bien ta main.

3 Recopie la lettre.

f

4 Reproduis les enchainements avec des lettres déjà étudiées.

fe
if
fa

5 Recopie les mots outils.

enfin
en effet
parfois

6 Recopie.

La fête est finie.
L

7 Regarde les dessins et écris les syllabes qui manquent.

une ______ gue

de la ______ mée

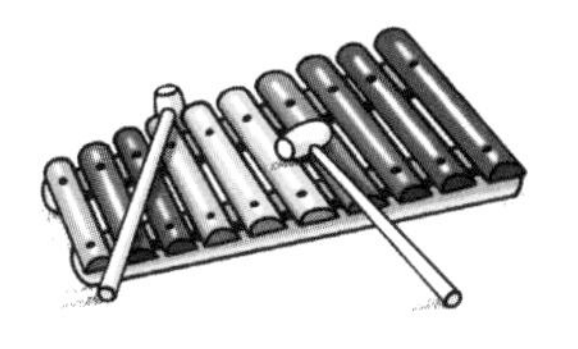

un xylophone

Un rouleau.
Un rond ouvert.

1 Repasse vivement au crayon plusieurs fois de suite la lettre tracée en bleu.

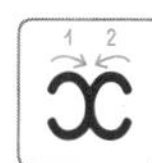

2 Continue la frise pour repérer où tu écriras. Vérifie que tu places bien ta main.

3 Recopie la lettre.

x

4 Reproduis les enchainements avec des lettres déjà étudiées.

xi

xo

ex

5 Recopie les mots.

deux

ceux-ci

6 Recopie.

Cet exercice est facile.

C

7 Regarde les dessins et écris au bon endroit le nom de ce qui est dessiné (boxe, pixel).

 un ____________

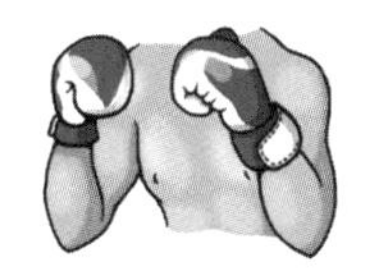 la ____________

Une attaque
de grande boucle.
Un rouleau.
Un rouleau prolongé bas.

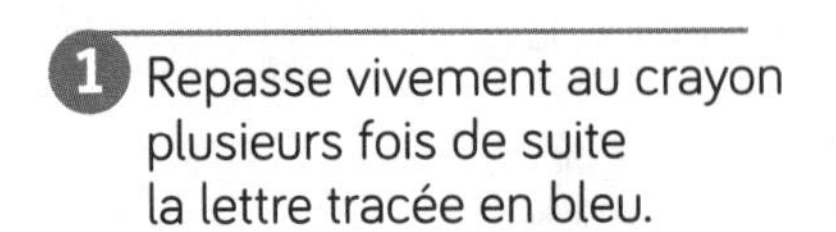

1 Repasse vivement au crayon plusieurs fois de suite la lettre tracée en bleu.

2 Continue la frise pour repérer où tu écriras. Vérifie que tu places bien ta main.

3 Recopie la lettre.

z

4 Reproduis les enchainements avec des lettres déjà étudiées.

ze
zo
ez

5 Recopie les mots outils.

chez
allez

6 Recopie.

Regardez le nez du clown !
R

7 Continue la ligne à l'identique.

s r z

Toutes les lettres par forme*

Continue les lignes. Écris une lettre par carreau.

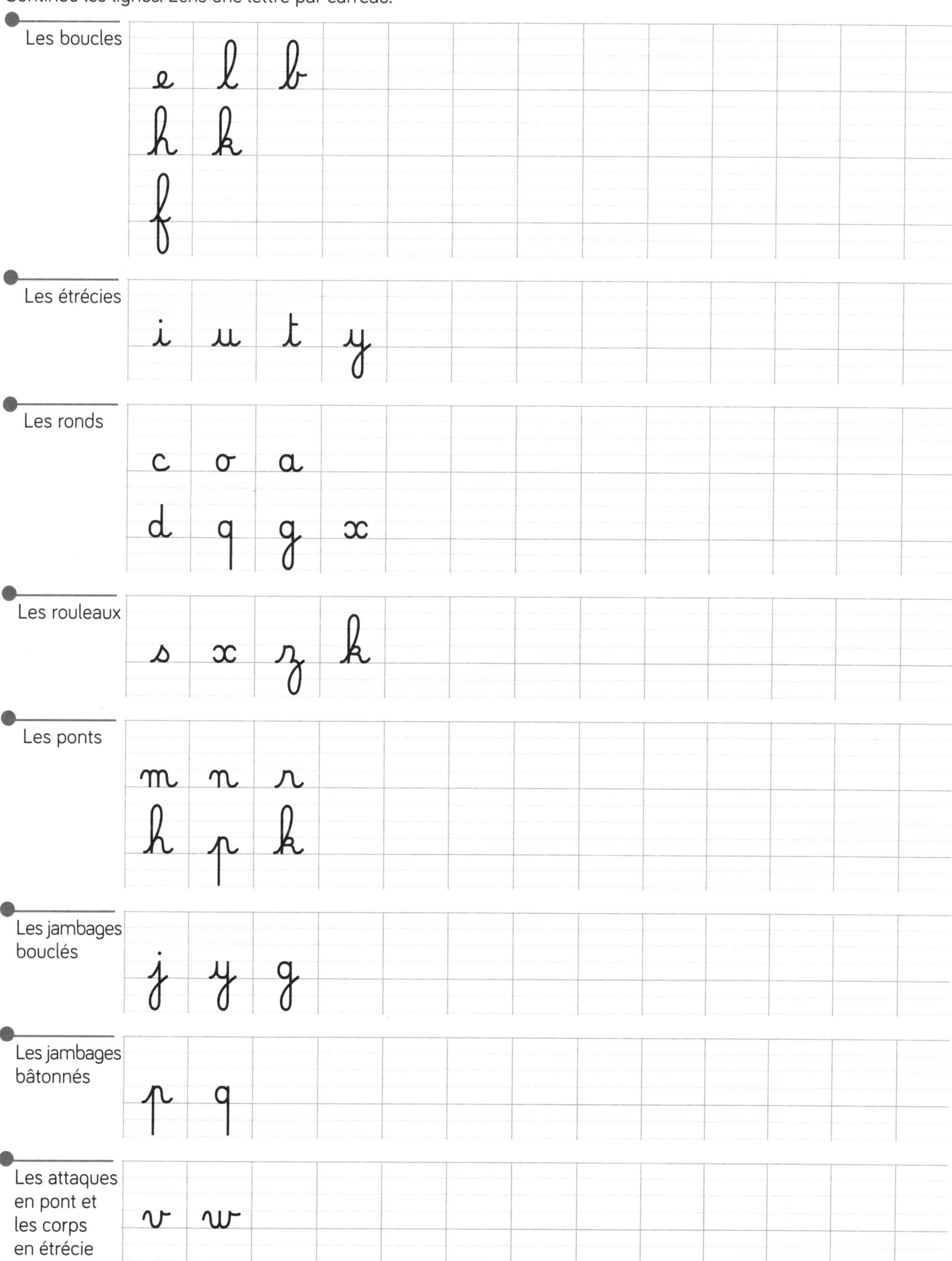

* Sauf pour v et w, *il s'agit exclusivement de la forme du corps des lettres lorsqu'elle y est entière (les attaques de grandes boucles et les finales en début d'étrécie ne sont pas prises en compte dans ce classement de même que la demi-étrécie du b).*

Les chiffres

Pour chaque chiffre :

- Observe le tracé du modèle.
- Repasse vivement plusieurs fois de suite les chiffres tracés en bleu dans la marge.
- Continue la ligne.

1	1	1
2	2	2
3	3	3
4	4	4
5	5	5
6	6	6
7	7	7
8	8	8
9	9	9
0	0	0